KB103138

침묵의 단면

침묵의 단편

발 행 | 2024년 05월 09일
저 자 | 박다올
펴낸이 | 한건희
펴낸곳 | 주식회사 부크크
출판사등록 | 2014.07.15(제2014-16호)
주 소 | 서울특별시 금천구 가산디지털1로 119 SK트윈타워 A동 305호
전 화 | 1670-8316
이메일 | info@bookk.co.kr

ISBN | 979-11-410-8453-0

www.bookk.co.kr

침묵의 단면

박다올 시집

시인의 말

단 한 구절이
마음에 들어 책을 샀다.

너에게 보여주자
너도 그 구절이 좋다고 했다.

그 순간
나는 그 페이지를 찢어
너에게 주고 싶었다.

2019 - 2021 붉은 마음

차례

혀를 뽑고 입술을 둥글게 말아도
목구멍에서는 외침이 메아리 쳤다.

얼마큼 보고 싶냐니요

시간을 걸려 1분이라도 볼 수 있다면
발걸음이 망설이지 않을 만큼이지요

날씨가 좋지 않아서 못 오신다는 말에
혹시라도 하는 마음으로 기대하며
발을 동동 구를 만큼이지요

약속된 날 먼저 도착하여 입구에 들어오는
사람마다 당신이 아닐까 하며
자꾸 고개를 돌리면서 확인을 할 정도이지요

절망적이고 죽고 싶은 날들이 찾아올 때에도
다음 약속된 날들을 생각하면서 하루하루를 버티고
살아가는 의미들을 부여할 수 있을 만큼이지요

얼마큼 사랑하냐니요
모든 마음을 바쳐서 주고 또 주어도
혹시라도 더 해줄 것이 있을까 초조해할 만큼이지요

당신의 작은 표현에 하루의 세상과 기분이 바뀌고
당신의 작은 웃음에 그 세상을 모두 가진 것 같지요

바다에 앞에서는 강의 아름다움을 잊어버리듯
당신이 옆에 있어준다면 그리 좋아하던
바다를 다시는 가지 않아도 좋다고 생각할 만큼이지요

그만큼 사랑하지요 가진 모든 것을 모아
주고 또 주어도 마음을 다 바쳐 주어도 더 주고 싶은 만큼
그리도 많이 사랑하지요 사랑하고 사랑하지요

계절 (24절기)

계절의 부탁, 봄이 부탁한다.
피워낸 꽃들이 타들어가지 않기를

여름이 부탁을 받고 아끼다 아끼다
가을에게 전해주면

가을은 최대한 예쁘게
그 꽃을 물들이고

이어받은 겨울은 미안한 마음으로
눈송이 하나하나씩을 녹여간다.

나는 겨울 같은 사람들을 만나서
봄과 같은 사람이 되어주고 싶었다.

걱정하지 말라고
모든 것은 당신의 잘못이 아니라고

시들어 죽어버린 꽃들은
내가 전부 다 피워주겠노라고

그녀

어쩌면 그녀는 나보다
따뜻한 사랑을 했을 수도

어쩌면 그녀는 나보다
더 가슴 아픈 실연을 했을 수도

첫 직장을 취직할 땐
어떤 삶을 살고 싶었는지

그 직장을 그만두면서는
어떤 생각을 하였는지

그녀를 가장 가슴 아프게 한 사람은
어떤 사람이었는지

그녀도 기억에서
오랫동안 머무는 사람이 있는지

집으로 돌아가는 길에는
어떤 노래를 흥얼거리고
어느 구절에서 위로를 받았는지

꽃꽂이를 좋아하게 된
이유가 무엇이었는지

그리고 그것을 더 이상 안 하는
이유가 무엇인지

가장 오랫동안 그녀를 보았지만
생각을 할수록 나는 그녀에 대해서 아는 것이 없다.

그녀는 항상 자신처럼
살지 말라고 나에게 말했다.

하지만 나는 그녀를 닮아가는
내 모습을 사랑한다.

그녀는 나에게 은연중에는
미안하다는 말을 많이 한다.

미안해하지 마세요
당신이 준 것에 부족함은 없었으니

다음에는 엄마가 좋아하는 꽃 한 아름 안고 갈게요

등대

멀고 긴 수평선 그 너머로 보이는
반짝이는 실체 모를 빛 하나

새벽 찬 기운에 이끌려
이끌림을 따라 걷는 발걸음

멍하니 걷다가 구렁텅이에
빠져 죽을뻔했다더라

그 빛을 따라가는 길이 선명하였는데
도착하니 그저 작은 등대이더라

멀리서 보면 좋은 길이 되고
너무 가까워지면 오히려 작아진다고 하더라

나는 너에게 가까운
빛이 아닐 수도 있지만

그래서 멀리서
길만 터주는 빛이 되고 싶었다.

가까이 오면 낡고 외로운 등대여서
겨우 빛이나 내고 너의 길을 터주는 것이

유일한 소망이기도 하였다.

자국

연필의 석탄처럼 쉽게 지워지는
사람으로 남고 싶기보다는

볼펜의 잉크처럼 쉽게 지워지지 않는
사람으로 남고 싶었다.

만약 내가 너에게 연필처럼
쉽게 지워지는 사람이라면

오늘을 한 페이지라 비유할 수 있다면
나는 너의 페이지에 나를 꾹 꾹 눌러 적어

얼마나 세게 눌러 적었는지
다음 장에도 그다음 장에도

그 자국이 남아 있도록
적혀있고 싶다.

거짓말

모순 덩어리인

그 아이를 안고

다독이며 세상의 위선을

반대로 말해주어야지

잔인하게, 또 희망적이게

그리고 그걸

사랑이었다 포장하면

그 아이는 할 말이 없겠지

허울과 영원

마침표보다 더 강한 자물쇠 같은 단어
목에 걸린 생선 가시처럼 쉽게 내뱉지 못했던

그 말을 어찌 당신은 그리 쉽게 말하고는
자물쇠를 열어두고 혼자 가나

괴팍한 날씨 덕분에 당신을 적는 날이
부쩍 많이 늘었고 이제야 답을 할 수 있다.

어찌 너를 영원히 사랑할 수 있을까?
뻔뻔한 허상 같은 단어인데

영원을 말할 때는 단어로만 존재할 뿐
영원을 약속할 때는 거짓을 느낀다.

나는 너를 영원히 사랑할 수 없지만
반대로 사랑할 수 있었다.

영원의 반대말은 시간이라던데
내가 가진 시간 모두 바쳐 사랑할 수 있었다.

영원, 시간 뜻은 다를지언정
단어에 사랑을 심어 기간을 다시 재어본다면

두 단어 모두 똑같은 결말이었다.

꺽이는 꽃

꽃을 꺾는 자는
꽃을 주는 사람을 생각하고

꽃을 받는 자는
꽃을 건네어준 사람을 생각하지만

그 누구도 꽃을 생각해 주는 이 없네

사랑하는 사람에게
꽃을 건네어 주고 싶다면

흘러넘치는 마음 고이 담아
사랑하는 사람 손깍지 걸어 잠가

꽃이 있는 그곳으로 가주어다오

행복(幸福)

행복이란

幸(다행 행)
福(복 복)

그래서 나는 그것을 다행히도
복을 만났다고 적었다.

그래서 나는
당신을 만난 것이 행복하였다.

당신과 함께한 모든 순간이
나에게는 다행이자 축복이었다.

(소라와 나눈 편지 내용 중 일부)

히피와 집시

세상을 바꿀 용기나, 능력은 없지만
사랑하는 사람의 세상은 바꿔주고 싶었다.

금세 주저앉을 것을 알고 있지만
갓 태어난 망아지처럼 절뚝이며

발버둥 치는 삶은 그럼에도 고귀하다
당신은 히피이고 나는 집시이길 바랐다.

퐁네프의 연인들처럼 서로 포기해도
금세 뒤돌아 서로를 찾을 수 있도록

담

높고도 한없이 낮음

멀리서 보니 금방이라도
넘을 수 있을 것 같이 보였다.

가까이 거리를 좁혀 가니
거리만큼 높아지는 담

허물고 싶지만 너무 단단하고
이내금 다시 그 끝을 올려본다.

탐욕과 욕망은 손끝에서 꿈틀거리지만
이상과 현실은 발끝에서 머무른다.

높은 담보다 높고 높은 마음의 외침
담 넘어 닿기를, 담 넘어 보이지 않는 곳에서

그대가, 그대만 덩그러니 서서
나와 같이 높은 담의 끝을 보고 있기를

37.2도

37.2도는 남녀가
사랑을 나눌 때의 체온

세상에 막 태어난
신생아의 체온이며

아이의 미열과 고열을 나누는 경계선

필립 지앙 소설을 원작으로 한
베티 블루라는 영화의 부제목

프랑스에서는 37,2도는
여자가 가장 임신하기 좋은 온도이자

사랑하기 가장 좋은 온도라는
이중의 뜻이 있는 온도

그러니까 37.2도는
사랑의 온도이자 생명의 온도

정인

고해성사와도 같은 대화를 풀어놓은 뒤

찾아온 침묵을 깨어 버린 것은
떨림이 느껴지는 너의 목소리였다.

“나를 스쳐가는 바람이라 생각해 줘”

바람에 맞아 속 깊이 멍이 들었다.

무게가 없는 바람은 무엇보다 무거운
수많은 다짐과 맹세를 날려버렸다.

내 안에 커다란 무언가가 깨져버렸고

나는 그 파편을 주워 담으며
더 많은 개수를 얻었다고 위로했다.

우리를 표현하던 모든 단어가
부름을 받지 못하여 의미를 잃었고

나는 끝나가는 우리의 대화 속에서
위로를 찾으려 애썼다.

그것은 내일을 이어가기 위해
필요했던 삶에 한 가닥 매듭이었다.

실패한 날씨

날씨가 좋지 않아서
다음에 오겠다는 당신의 말에

하늘을 보니 흐리고도
구름이 가득 차있는 날이었다.

너무 덥지도
너무 춥지도 않은

이런 날씨를 나는 좋아했지만

내가 좋아한 그날의 날씨는
실패한 날씨였다.

시인들

잠을 주고 얻은 밤

사방에서는 불면증 환자들의

노랫소리가 울려 퍼진다.

너 죽고 나 살자, 나 죽고 너 살자.

수많은 시집과 시인들, 수많은 문장과 단어들

애석하게도 그날은

위로를 건네줄 시인도, 노래도 없었다.

갈증

술에 취해
다리에 서서

잔을 바다에
던졌지

내 잔은 영원히
마르지 않았고

난 죽음에

더 이상 갈증을
느끼지 않았지

집착

그녀를 지키려는 유리병은

오히려 그녀에게 독이었다.

그녀는 유리병 이외의 세상에

발걸음을 내밀 수 없었으니

매일밤

유리병을 통해 바라본

밤하늘의 별들은

그녀를 바라보며 소리 없이 울었다.

민달팽이

달팽이가 무음으로 달린다.

어린아이가

엄마 뒤를 무음으로 쫓아간다.

그림자처럼

나 버리지 말라고

앞으로 밥 잘 먹겠다며

나의 집이 되어달라고

달려간다.

행복

눈물은

마음으로 쓴 시

이 시의 주인은

찰나

지혜롭게, 자해롭게

달들도 고개를 돌릴 때 도망쳐줘
아침 커튼 사이로 햇살들이

당신의 손목을 긋기 전 이불 속에 들어가 줘
나는 그걸 잘하여 손목에 팔찌가 없다.

망각의 블록들 기억의 별명이여라
그건 내 뒤통수에 오랜 시간 동안 머물러 있었다.

손은 가끔 답답함을 참지 못한다.
죽음을 담보로 한 탄생은 늘 이리 위안이 필요한가

"그건 우울증이야"
대수롭지 않게 받아쳤다.

"우울은 지성의 부산물이야"

불안한 새벽을 연장시킨다면
초조하지 않고 불안하지 않을 텐데

당장이라고 사회적인 사람이 될까 봐 불안하지 않을 텐데

우울은 누가 발견하였을까
이것의 주인은 누구였고

누가 먼저 찾아서 사용하였을까
그때 그 순간의 절망과 기쁨은
어떤 말로 표현을 하였을까

모든 존재의 이유, 모든 말로의 비극

원작자는 모르지만
출처는 본인으로 하여 시작되었다.

그야말로 원치 않은 전염병
그럼에도 바꾸거나 수정할 수 없는

모든 존재의 이유와 같은 것

하얀 화살촉

아주 어릴 적

아주 신사적이던

아버지의 가슴에 꽂힌

하얀 손수건

그건 누구를 위한 걸까?

그의 것이었을까? 그녀의 것이었을까?

결핍

우리가 사는 세계는
결핍된 욕망으로 시작되었다.

한때 나는 내가 없더라도 당신이 있음으로
나의 없음을 채울 수 있을 거라 믿었다.

하지만 그 반대였다.

내가 없다면 당신만 있을 뿐
당신이 없다면 나만 있을 뿐

우리는 무엇이 없고, 있고를 따지지 않았을 때
비로소 사랑을 피워냈다.

없음은 아무리 애를 써도 없음으로

당신이 나를 떠날 이유가 없고
나는 당신을 떠날 이유가 없었다.

잠깐 빛나고 흔적도 없이 사라지는
그런 날들을 바라지 않아도 괜찮았다.

점과 점 사이

우리의 거리는 멀리서 볼 때는
긴 선과 같이 이어져 있는 것처럼 보이지만

가까이 다가가 보니
무수히 많은 점들의 나열이었다.

단 하나의 점도 겹치지 않고
단 하나의 선도 이어져 있지 않았다.

점과 점 사이

작은 점 하나 찍으면
이어지는 선과 같은 사이

끝내 작은 점 하나 찍지 못하고
돌아서 발길을 옮기니

멀어질수록 선처럼 보이더라.

이어져 있어 보이지만
하나의 겹침도 없는 사이

너와 나의 거리, 점과 점 사이.

처음

이별의 아픔에
깊이 슬퍼하지 말자

자책감과 절망 속에서
허우적거리지 않아도 괜찮다

애틋했던 물건을 겨우 버려낸 뒤
시간이 지나면 떠올리기 힘들듯이

다 써버린 것들이 점점 잊히듯이

처음부터 우리는
우리가 아닌 너와 나였음을

우리가 바뀐 것이 아닌
처음으로 돌아온 것임을

성숙해진 태도로
다음에 찾아올 우리를 맞이할 수 있도록

구의 세상

당신과 내가 서 있는 곳은 구와 같았다.

당신은 뒤돌아보는 방법을 몰랐고

나는 반대로 가는 방법을 몰랐다.

우리는 아무리 걸어도

서로의 뒷모습만 좇을 수 있었기에

가끔은 있는 힘껏

구의 선을 밟고 무너트리려 하였다.

구의 선을 밟고 밟아 그 선이 직선이 된다면

그 끝에 서 있는 당신을

찾을 수 있을 것 같았기에

발걸음마다 있는 힘껏 내딛고 뛰는 게

유일한 발버둥이었지 싶었다.

가정폭력

학교를 마치고 돌아오니 그녀가 나를 부른다.

내 양손을 잡으며 내가 키가 더 자라고
한 사람만 보이고 그 사람만 생각날 때가 오면
그것이 사랑이라고 말해준다.

그때가 오면 거짓말을 하지 말고
솔직한 태도로 소중함을 간직해 달라고 부탁한다.

그녀는잡은 손을 풀고
새끼손가락을 걸라고 말한다.

그 말에 너무나도 깊은 한이 보여서
울먹이는 떨림을 겨우 참아내는 것이 보여서
손가락을 풀고 나를 안아주는 품이
오늘따라 더 강하게 느껴져서 한순간도 잊지 못한다.

그때 왜 갑자기 나에게 그런 말을 했을까
생각하면 생각할수록 가슴 한편이 쿡쿡 쑤신다.

불면증

당신을 알기 전부터 간직한 불면증

당신도 나와 같은 것을 간직한 걸 알았을 때
우리는 더 이상 두려워하지 않았다.

어둑 컴컴한 날들이 우리에게 찾아오면
우리는 더 이상 혼자가 아니었다.

무너진 잔해들이 바닥에서 선명했지만
서로 곁에 있기에 두려움마저 잦아들었다.

당신과 나에게 불면의 밤은
햇살보다 따듯하고 밝게 빛나는
세상에서 가장 사랑스러운 밤

세상에서 가장 사랑스러운 우울
세상에서 가장 사랑스러운 지옥

우리의 두려움은 서로의 손길에서 녹아내려
가장 불안정한 안식이 우릴 감싸주었다.

침묵의 단면

나를 살리는 것들은
동시에 나를 죽이는 것들이었다.

세상에서 가장 느린 자살을 하는 것처럼
속병이 났지만 겉에 반창고를 붙이는 것처럼

늘어가는 추억은 많아지고
나눌 수 있는 사람들은 적어진다.

'기이한 현상의 반복들'

사방이 벽으로 막힌 방 안에서
그러면 안 된다는 걸 자각하고 있다.

그러나 혼자인 방에서 누가 막을 수 있을까?

침묵은 소리 없는 비명같이 울려 퍼진다.

무척이나 차갑고 쓸쓸한 것
무언가를 잡고 싶었지만 이내 놓아버렸다.

그 무엇도 손에 잡히는 것이 없었기 때문에

사라지는 것들은 나의 희망이자 나를 살리는 것
그렇기에 나는 그것들과 조우해 본 적이 없다.

거울

당신이 지금까지 앓아왔던 병들은
내 시야 반대편에 걸려 있던 거울

걸어가던 길목에서 엇갈리고
헤매던 골목에서 알아보았네

당신이 앞으로 앓아야 할 병들은
내 앞에 걸려 있는 거울

같은 장소 같은 위치에서
다른 시야와 프레임으로, 시각과 색상으로

그래도 가만히 눈을 감을 때면
같은 어둠 속에 같은 것을 보겠지요

정말이지 불안정하고 완벽한 위로이다.

장마

하늘이 구름을 빌려
울어댄다.

비의 젖을 각오가 되었다면
장마철은 반갑게 느껴지겠지만
어김없이 우산을 집어 든다.

만약 당신이 비였다면
우산 없이 밖으로 향하여
모두 받아들였을 텐데

발칙한 상상을 하면서
썩 반갑지 않은 장마를
맞이하러 나간다.

위로와 폭언

노트 한 권이 멀쩡했던 날들이 없다.
위로는 즉 폭언이다.

내가 아프거나 힘들다는 것을
확신하게 해 주니까.

겨울이 느지막이 끝나갈 무렵
당신에게 나는 사랑을 배울 거란 예상을 하였지만
당신은 외로움 전문가였다.

조건 없이 내어준 보금자리에서
당신을 관찰하는 시간들로 하루를 보낸다.

지극히 평범한 나날들이 줄을 따라 이어지고
형태 모를 그림이나 짧은 글귀 따위가
술병처럼 벽면을 빼곡히 채워간다.

저녁이 찾아오면 울음소리와 노래들을
자장가 삼아 낮은 허밍과 함께 잠이 든다.

커튼 사이로 반갑지 않은 햇살이 뒤집고 들어오면
인센스 스틱에 불을 붙이고

불이 꺼질 때를 맞춰서
모르는 이들의 생일을 속으로 축하한다.

"진짜 행복이 뭐였더라?"
담뱃불을 붙이고선 엊그제 오갔던 질문을 곱씹는다.

한 개비를 다 태울동안 명확한 답을 내리지 못하면
그다음 질문이 자연스레 뒤따라온다.

“불행은 무엇일까?”
이에 대한 답은 망설임 하나 없이
별의 별것들이 다 위태롭고 위협적이다.

결핍은 피부와 같다
하루치 알약의 개수는
건강 상태를 체크해 주는 온도계

우리는 날씨와는 상관없이
줄곧 비슷한 온도로 지내었다.

잠을 주고 얻은 새벽을 술로 채우면
너, 나 할 것 없이 상처들을 훈장처럼 자랑한다.

당신의 이름에 걸려본 적 없는 나는
내 이름의 걸려본 적 없는 당신은

모든 물음표라는 갈고리에 걸려
허우적거리다 갇힌다.

생체기를 내지 않는 갈고리에 걸려
마치 49제를 치르듯 반복된 고통 속에서
남모르게 49개의 유서를 적어도

팔에 붉은 팔찌들이 늘어나더라도
이내 별것도 아닌 것을 금세 알아차린다.

그럼에도 항상 그런 것들이
위태롭게 왔다 간다.

미련

나는 오직
미련만을 남기고 떠나고 싶었지

미련 속에는 담겨있네
사랑이

모른 채 외면한 뒤
괴롭히는 것들을 억지로 삼키다

끝내 토하 고나서야

미련은 사랑에서
파생된 것임을 알게 되었지

미련도 결국
사랑이었지

남겨진 흔적들이 나를 괴롭히고
사랑의 잔재가 미련으로 남아

나를 흔들었지

그래서 이제야 알게 되었네

미련이란
결국 사랑의 또 다른 얼굴임을

백야행

하얀 어둠이
눈꺼풀 위로 떨어진다.

낯선 빛이 쏟아지고
아등바등 빠져나와 살아보자 숨을 내쉬니

모든 빛을 빼앗고 촛불을 건네온다.

하루를 지탱하는
문장들은 쉽게 무너진다.

허망을 품은 공허는 어김없이
나를 감싸 안아준다.

다시금 추억을 꺼내 먹고
종말론을 상상한다.

자살

오늘도 여전히

새벽에 찾아온

손님 덕분에 가슴이 아려온다

적막을 안주 삼아 술에 취한다

울음을 억누르면 비참해지고

기어코 시를 적는다

이 시를

어떻게 매듭을 지으면 좋을까

내 무게를 지탱할 수 있으려나

치매

그저께는 당신이 여보라고 부르며
와이셔츠 다려놨다고
아침밥 먹고 나가라고 하셨죠.

저번에는 먼저 간 언니라고 부르며
왜 나를 두고 갔냐고
가슴 치며 통곡을 하셨고

또 언제는 아버지라 부르며
마지막 곡기를 챙겨주지 못해
평생 가슴에 짐이 된다며
엉엉 어린아이처럼 울며
제게 안기셨어요.

오늘은 저의 이름을 부르며
미안하다고 하셨어요.

괜찮아요, 엄마.

사춘기 딸에게

난 너의

입꼬리 위에서

기어 다니고 싶어

내 다리는

서른마흔다섯 개

간질간질

이렇게 해서라고

너를 웃기고 싶어

무화과

글로도 그림으로도
표현 못하는 순간

차마 꺼내지 않기로 다짐하고 살아왔던
무너지는 단어들로만 표현할 수 있는 순간

그 순간은
눈 깜짝할 만큼 찰나이지만

깊은 곳까지 자리 잡아
뿌리를 내리고

눈물을 먹고 가지를 세워

빌려온 단어들을 거름 삼아
이파리를 피우고

썩어 문드러진 감정들을 빌려
무화과를 맺는다.

선분홍빛의 무화과
과육은 분명 반쯤 썩었을 것이다.

나는 떨어진 무화과를 정성그럽게 포장한 뒤
당신에게 선물한다.

내 모든 것을 알아주길 바라는 마음으로

내가 만든 세상

내가 먹은 술을 모두 모아
작은 바다를 만든다.

태워냈던 담배 연기를 모아서
구름을 만들고

구름은 지금까지
쏟아내었던 눈물을 먹고

4계절 내내
우는 비만 내리 쏟게 만든다.

아침 일찍 떠오르는 태양은
카페인으로 만들었다.

그동안 먹어온 약들로 밤을 만들었으니
불면은 없으며

읽어왔던 책들에 있는 단어들로
집을 꾸려 만들었다.

즐겨 듣던 노래가 새로운 단어가 되었고

태어나 가장 많이 보았던
한 가지 색상만 남겨두었다.

주저하다 보내지 못한 편지들로 침상을 만들었으니
배가 고파 잠에 청하면 추억을 먹고 배불리 일어난다.

수심을 모르는 새들이
작은 바다를 무서워할 줄 모르고

물고기를 잡으러 들어갔다가
취해 죽어버린다.

4계절 내내 비가 내리니
작은 화분에 살던 선인장들이 물러 터져 죽어버렸다.

아침에 잠을 들던 사람들은 밤에 잠들었고
새벽을 맡아주던 사람들이 모두 사라지니
밤은 무음으로 칼을 만들어 자살을 시도한다.

내가 듣던 노래들이 단어가 되니
모두가 불이 안 들어오는 집안에서 엉엉 울기만 한다.

세상의 모든 색들은
검은색 말고는 존재하지 않는다.

그럼에도 모두 잘 자고
추억을 먹어 배불리 살 수 있었다.

너무 솔직한 세상에
누구 하나 밖으로 나가려 하지 않는다.

목적지가 없어지고
당신과 나의 교차점도 없어진다.

나는 다시 수많은 거짓말들로
내가 만든 세상을 꼭꼭 숨겨두었다.

의미

의미를 두고 삶을 살고 싶어라

때로는 스쳐간 사람에게 의미를 두고
때로는 지나갈 사람에게 의미를 두기도 했다.

그저 잘 살고 싶고
밥을 잘 챙겨 먹고
아프지 말겠다는 다짐

단순한 의미들을 자신에게 두기에는
반복적 일상들은 쉽게 무너졌다.

그렇기에 당신에게 의미를 두고 싶었다.

당신과 같이 잘 살고 싶고, 당신과 같이 밥을 먹으며
당신과 오래 함께 하기 위해 아프지 말아야겠다는 다짐

일상적이고 무게 있는 의미들을 당신에게 두고 싶었다.

의미를 둘 곳을 잃은 나는 끊임없이 죽어간다.

당신이 없는 곳에서 왜 잘 살아야 하고
당신과 같이 먹지 못하는 밥을 왜 잘 먹어야 하며
당신과 함께 하지 못하는 시간들로 이어진 삶은
왜 아프지 말아야 하는지에 대해서

여전히 나를 납득시키기 어렵다.

숨길 수 없는 것

세상에는 숨길 수 없는 것이
3가지 존재한다.

가난, 기침, 사랑

당신이 좋아했던 소박함이
촌스러움이 되어도

거위 소리를 내며 기침을 해도
상관없었다.

하지만 사랑은 달랐다.

사랑은 끝나서 슬픈 것이 아닌
지속되어 슬펐으므로

숨길 수도 없었고
끝이 보이지 않았다.

그림자

어릴 때에는 그림자가 참 기괴하였다

내 모습을 따라 하고 어느 날은 커졌다가
어느 날은 작아지더니만 내 뒤를 따라가기도
내 앞을 앞질러 가기도 하였다

빛이 사라진 캄캄한 어둠이 찾아오면
큰 그림자들이 뒤덮이고 나를 헤칠 것 같았다.

그럴 때마다 이불 속에서 숨어 있으면
엄마는 괜찮다고 나를 꼭 안아주었다

아침보다 기다려지고 햇살보다 따뜻한 품 속
엄마, 있잖아요 이제 나 다 컸어요

아직 어리숙하지만 아직도 아이 같지만
이제는 제가 안아드릴 수 있을 정도로 컸어요.

그림자는 무서운 것이 아닌
유일하게 나와 함께 하는 것
품속을 통해서 알게 되어
저는 더 이상 그림자가 무섭지 않았어요

이제는 제가 항상 당신의 그림자가 되어
곁을 지켜드릴게요

도망가요

우리 그냥 도망가요

흐려진 손을 마주 잡고
내딛지 못한 발걸음을 맞추면서

갈변된 마음들을 털어내고
아무도 찾지 못하는 곳으로

바람이 부는 이유는 없지만
우리가 사랑을 맡을 이유는 너무 많아요

사랑을 해요

준비된 사랑도, 예고 없는 사랑도
고요한 눈 맞춤과 따듯한 손깍지

포근한 포옹과 짜릿한 키스
뜨거운 섹스와 격렬한 사랑을 해요

모든 감정은 사랑의 주석이고 하녀잖아요
모든 감정은 사랑의 자식이고 선물이잖아요

우리는 그 속에서 태어나고 죽어가니
그리도 힘들다면 우리 그냥 도망가요

혼자 떠나지 말고, 같이 도망가요

상상

목숨 같던 사람이 떠나도
호흡에는 문제가 없었다.

그건 그녀가 죽을 수 있는 이유였다
그럼에도 그녀는 망설였다.

죽음을 가까이 하려 했던건
실현시킬 용기가 없었기 때문이다.

그녀는 상상속에서
몇 번의 죽음을 실현시켰는지
도저히 가늠할 수 없었다.

죽은 뒤에도 비슷한 세상에서
같은 상처를 입을 것이라는 또 다른 상상

그것은 그녀가 지옥 같은 곳에서
발을 떼지 못하는 유일한 이유였다.

가정폭력2

작은 아이들 방 문은 틈새가 있다.

아무리 꽉 닫아놔도 옆방이 보이는 틈새

시끌벅적한 비명에 아이들은 눈을 뜨고
작은 틈새로 작은 방을 눈치 본다.

가냘픈 목소리로 아이들의 이름이 불린다
덜컥 지레 겁먹은 아이들은 문을 열지 못한다.

다음날 오빠는 동생의 눈과 귀를 씻긴다
어제의 광경은 모두 다 씻겨 내려가라고

아무것도 보지 못하고
아무것도 듣지 못한 것처럼

9살의 아이가 할 수 있는 최선이었다.

유일한 두가지 방법

사랑을 잃지 않는 방법이란
애초에 갖지 않는 것뿐이었다
그게 참 야속하였다.

주저리 적은 글들에는 다짐이 있었고
종이를 구기면 증발하듯 쉽게 날아갔다.

요행을 바라면서 살 수 없었기에
뭐든 참 쉽게 물러 터지기 일쑤였다.

잘못된 것들에 더 많은 기대를 한다
넘어질까, 깨질까 걱정을 하면서
작고 힘없는 것들에는 정성을 쏟아야 한다.

여간 귀찮은 일이 아닐 수가 없다

그럼에도 사랑이란
몇 번이고 감싸주고 쓰다듬어야 하는 것
금방이라도 시들 거 같은 새싹이기에

단단한 뿌리를 내릴 때까지
그리고 잎을 피우고 꽃봉오리가 생길 때까지

꽃을 피우고 다시 시들어 앙상한 가지가 남아도
다시 잎을 피우고 다시 꽃봉오리가 생기도록

요행을 피우지 않고 보듬어야 하는 것
사랑을 잃지 않는 유일한 두 가지 방법

자국

구석진 곳마다
당신이 살고 있다.

내 방 어딘가에
당신의 머리카락이 숨어 있고

미처 환기시키지 못한
숨결이 떠다닌다.

당신의 물건이나 소지품은 없지만
방안 모든 것이 당신의 손을 타고 흔적을 남겼다.

내 호흡은 당신의 사색을 닮았다.

작은 숨소리는
손등이 닿지 않으면 알아차릴 수 없다.

적막하지만 적막하지 않다
나만 있지만 나만 없다
사방이 전부 당신의 자국들로 선명하다

별의별 기억들이 소란스럽다.

낭만주의

담백한 목소리로
새벽이 되어 나에게 연락을 주었다 말한다.

사랑받을 자격이 생긴 것만 같은 순간
우리는 서로에 대해 아무것도 모르지만
최선을 다해 완벽하게 아는 척을 한다.

기약 없는 약속들을 서슴없이 하고
다가올 시간들 속에 서로를 넣어본다.

당신 없는 청춘이 낭비처럼 여겨지고
입술 위로는 작은 나비들이 자리 잡는다.

내일 죽을지도 모르니 떠나자는 말에
어찌 싫다고 말할 수 있을까

허황에 몸을 싣고 낭만이라 칭한다.

유리 같은 약속들이 쉽게 깨지면
당신을 닮은 당신이 나타나고
또 새로운 낭만을 만든다.

수많은 당신들이 차례대로 왔다가 간다
제자리에 홀로 서 있는 사람은 나뿐이었다.

쉬운 사람

당신이 우울한 감정을 사랑하는
방법을 모른다 말할 때
시체처럼 널브러지고
몰래 눈물을 감추려 할 때

반짝이는 순간들이 갑자기 찾아와
행복해도 괜찮을지 되려 불안해할 때
너무 엉망이라 차라리 더 망가지려 할 때도
그 모든 순간의 당신을 사랑했다

갈 곳이 없다면 언제든지 자리를 내어주고
날이 추워 팔짱을 끼는 당신을 부둥켜안아주고 싶었다
당신이 환상 같은 거짓말을 해주면 기꺼이 속고 싶었다
당신에게는 세상에서 가장 쉬운 사람이 되고 싶었다

그렇지만 그마저도 쉽지 않다

보내지 못한 편지

우리가 좋아했던 시월은 한참 지나고
부쩍 추워진 날씨에 문득 생각이 나서
전할 수 없는 안부를 물어봅니다. 잘 지내셨나요?

엄동설한이 코앞으로 다가오니
눈 내리는 것은 좋아하지만
추위를 잘 타 밖에 나가는 것은
항상 망설여진다던 말이 떠오르곤 합니다.

그동안 어떻게 지내셨는지 물어보고 싶지만
전해 들을 수가 없기에 여전히 잘 지내셨길 바랍니다.
저는 그럭저럭 삶을 버텨가며 지내고 있습니다.
끼니를 거르는 나날이 이어지다가도
밥은 꼭 챙겨 먹으라는 부탁이 생각나
수저를 드는 날들이 많아졌고 이제는 밥도 잘 먹습니다.

술로 밤을 지새우던 날들도 많았지만
건강 챙기라는 부탁이 생각나
어느 정도 조절하는 습관도 생겼습니다.

사진 찍는 것을 좋아하는 저를 위해
제 생일에 목에 걸어준 필름 카메라도
자주 사용하다 보니 이제는 사용법에 제법 익숙해졌고
새로운 필름도 인화해 보았습니다.

당신이 선물해 주었던 신발도 매일 잘 신고 있습니다.
헤어지기 전날 미리 준 다음 생일선물로 받은 지갑도
당신이 걱정한 것과는 달리 잘 사용하고 다닙니다.

다른 신발도, 다른 지갑도 여전히 있지만
당신의 친절을 생각하며 같은 신발과 지갑만 고집합니다.

여담이지만, 이유도 모른 채 싫어하던
검정치마의 노래도 요즘은 질리도록 들으며
이제는 연습했던 기타도 나름 잘 치게 되었습니다.

새로운 사람들과의 만남과 실패를 반복하면서
그때보다 조금은 성숙해진 저를 발견하기도 했습니다.

우리가 약속했던 드라이브도, 시간이 지나면
주신다고 하셨던 연락도 유효한지는 모르겠지만
가끔은 그런 약속들을 생각하며
하루를 멍하니 보내는 날들도 생깁니다.

서로를 가장 잘 아는 남이 되었다는 것은
언제나 가슴 한편이 쑤시는 일이지만
그래도 항상 모든 일에 응원을 보내고 싶은
마음을 간직한 채 다음 날도, 그다음 날도 살아갑니다.

날이 추워져 갑자기 걱정이 되는 마음에
보낼 수 없는 안부를 보내드립니다.

잘 지내시나요?

추워지는 날씨에 아무쪼록 건강하시길 바라겠습니다.

데카당스

불나방처럼 불 속으로 뛰어들고
당신의 윗입술을 깨문다.

타락 속에 더 이상의 구원자는 없었다.

당신이 같이 불 속으로 뛰어들지 않는다면
당신은 나를 끝까지 지켜봐 줘야 한다.

눈이 타들어가도 보고 싶었던
목이 잠겨도 부르고 싶었던
내 마지막은 당신을 못 보고 떠날 테니
당신이 내 마지막을 지켜봐 줘야 한다.

나의 모든 행운은 당신을 알게 된 것에
전부 사용해 버렸다.

그래서, 내가 남긴 불씨가
당신의 기억 속에서 꺼지지 않기를

불타고 남은 재로라도
당신의 어딘가에 남아 있기를 바란다.

의문

형태도 없는 것들이
땅에 금을 긋는다.

사각진 방안 문마저
벽으로 변한다.

소리를 낼 수 없는
사물들이 아우성을 지르자

세상에 없는 단어들로
멜로디를 만들어 노래를 불렀다.

갇힌 공간 속 안도감

제 목의 탯줄을 건 태아처럼
한없이 위태로워 보인다.

상실

내 마음 같지 않았던 일들이
주변에 널브러져 있다.

어느 날은 당신이 내 어깨를 잡고 흔들길래
아무거나 짚이는 걸 토해냈다.

휘두르지 않는 폭력
말을 많이 할수록 점차 허름해져 간다.

울음 속에서 간신히 호흡하며
미움 속에 꽃이 피길 바란다.

공명조차 없는 침묵 속에서는
고장 난 꿈을 그린다.

핑계로 미뤄왔던 소홀함
그로 인해 파생된 부재들

길을 잃어 벗어나지 못한 채
상실의 손아귀에 목덜미가 잡힌다.

지나간 타이밍

2019년도 겨울쯤

돌이켜보면
인생에서 가장 근사하고

앞으로 더 이상 없을 만큼
행복했다

가끔씩 생각한다

그때 죽었더라면
가장 행복하게 죽지 않았을까?

빌린 입

당신의 입은 여러 색을 만들고
허공에 그림을 그린다.

입술과 입술이 만나 물감을 받으면
내 입에서도 색을 띄우고

당신처럼 그림을 그린다.

당신은 곰팡이 핀 화분과 잿빛 장미로 그리고
그냥 장미를 그렸다고 말하니

근사한 화분과 붉은색 장미를 그렸다.

우리는 같은 것을 말하고
다르게 그리는 습관을 가지게 되었다.

색이 퇴색되면 다시 입술을 마주한다
우리는 다시 다른 그림을 그린다.

붉은 줄 알았던 입술이 잿빛임을 알아도
당신의 입을 빌린다.

색이 달라졌음을 알게 되고
우리의 그림이 다름을 알았음에도
내가 그릴 그림은 여전하다.

블루스

당신의 여백 위에서 미끄러지고
당신의 외로움으로 몸을 닦는다.

당신의 울음소리에 맞춰 춤을 추고
당신의 호흡과 그 리듬에 발을 맞춘다.

미숙한 질문이 귓속을 파고들면
지나간 기억들을 구토하듯 쏟아낸다.

당신의 그림자가 야위어가면
그림자를 부둥켜안고 춤을 춘다.

당신의 시야에 머무를 수 있도록,

당신의 허망과 상실,
당신의 허울과 손에 깍지를 끼고,

당신의 부재 속에서도
남긴 것들이 만들어낸 블루스에 맞춰
춤사위를 이어간다.

화단

방 안 가득 찬단 향이 흐르고
창문 밖의 소란으로
밝은 날임을 어렴풋이 알 수 있었다.

눈길이 닿은 구석진 자리에는
화단이 있었다.

어느새 전부 시들어버려
잿빛 색을 띠고 있는 꽃들

이제는 물을 주어도
꽃이 살지 못하는 건 알지만
그래도 자리에 일어나 물을 주었다.

죽어있지만
사라진 것은 아니었다.

죽은 꽃에 물을 주면 안 되는
이유도 찾지 못하였다.

그것은 이내 물을 줄 수 있는 이유가 되었다.

당신이 떠난 지 꽤 긴 시간이 흘렀다는 걸
뒤늦게 알게 되었다.

당신이 떠났음에도 여전히 사랑한다는 걸
뒤늦게 알게 되었다.

부름

입에 풀칠하듯 아무 말이 없으면
금세 참지 못하고 너의 옆구리를 쿡쿡 찔렀다.

그리고 다정한 너의 목소리를 기대했다.

네가 나에게 질문을 하면
내 목소리가 다정했기를 바랐었고
내 기대를 눈치챘는지
다정한 목소리가 좋다 말하였다.

우리는 서로가 서로를 불러주지 않으면
이내 벙어리가 되고 말았다.

고스란히 창백한 밤
나는 아직도 벙어리로 침묵을 지킨다.

너도 나처럼 벙어리로 지내길 바라며
누군가가 너의 이름을 불러주길 바라며
오늘은 너의 이름을 멜로디에 올려 허밍 한다.

내 목소리는 여전히 다정할지 모르겠다.

사랑해

안녕, 사랑해

너의 부서지는 밤을 사랑해
너의 파도 같은 숨소리를 사랑해
너의 파란색의 단어만 말하는 온기 남은 입술을 사랑해
너의 공허함으로 가득 찬 무채색 꿈을 사랑해
너의 허무한 나날들을 사랑해
너의 외딴 사막과 아무도 오지 않는다고 말해준 섬을 사랑해
너의 상상 속 새드엔딩을 사랑해
너의 애틋한 불면을 사랑해
너의 지나간 역사와 시작될 역사를 사랑해
너의 낡은 스프링 노트와 그곳에 적은 글들을 사랑해
너의 숨처럼 붙어 있는 외로움을 사랑해
너의 자잘한 망가짐을 사랑해
너의 환한 수다와 작은 허밍들을 사랑해
너의 가벼운 주머니와 정성스러운 편지를 사랑해

그럼에도 더 이상 나를 사랑하지 않는 너를 사랑해

잊혀진 기억

언제부터 글을 좋아하게 되었을까?
짧은 글귀가 지나간 연인보다 더 자주 떠오른다.

언제 죽어야 가장 행복할지 고민하던 시월
시월은 언제나 유서의 달이었다.

차가운 겨울이 성큼 다가오기 전
마지막 따스함을 느끼는 계절이었다.

추워진 후에 죽는 것은 의미가 없었다
가끔씩 입속에서 손이 튀어나와 입을 막는다.

주절주절 말하고 싶어 입이 근질거리다가
튀어나온 손을 억지로 삼키면
다시 시월에 죽어야 하는 이유를 설명한다.

그러면 당신은 다시 내 앞에서 시를 적는다
그리고 그것을 편지라며 건네준다.

나는 편지를 받고 몇 주가 지나면

시월에 죽어야 하는 이유를 또 말한다
그러면 내 손에는 다시 편지가 쥐어진다.

언제부터 이 반복이 시작되었는지는 모르겠다
사랑을 받기 위해 죽음을 생각하게 된 것이

낙화

당신의 손을 잡고

부서지는 길을 건너
절벽으로 향한다.

푸른 바다에 빠질
상상을 무기로

하지만
시멘트 바닥이어도 상관없다.

어차피 어디에도
희망은 없었으므로

암막 커튼

아침에도 밤이 온다.
뜬 눈으로 밤을 지새우고

새로운 밤을 맞이하면
아무도 모르는 글을 쓰고 싶다.

(필름 카메라, 바, 택시, 옥탑)

괄호 안에는 단어들을 넣고
당신을 은폐했다.

당신이 읽지 않는다면 아무도 모르는 글이다.

커튼을 걷지 않으면
나는 아침이 왔는지 모른다.

아무도 모르는 글들이 점차 늘어난다.

그리고 그 글들은, 우리의 비밀을 고스란히 간직한다.

묘지기

부재가 된 사람들은

죽은 사람들이다.

도대체 마음속에는

몇 개의 무덤이 있는가

헤아릴 수가 없다.

청춘예찬

당신 없는 청춘은 낭비라 하였다
돌이켜보면 청춘은 불행의 동경이다.

퀴퀴한 냄새가 나는 5평 원룸과
영원을 약속했던 당신과의 나날

푸를 청에 봄 춘
푸르른 봄이라는 뜻의 청춘

계절마다 봄은 항상 오지만
청춘은 지나가기 마련이었다.

내 청춘은 봄날에 뿌리내릴 씨앗이 없었다.

밥을 사 먹을 돈이 없어 기어이 가난을 자랑하고
사치가 아닌 사치는 낭만이라 불렀다.

내 청춘은 젊은 날의 사랑인지
발버둥 치던 먹먹한 날들의 회상인지

무엇을 그리워하는지 모르겠다.

정갈한 문법으로 우리를 써나갔던 모든 페이지가
실체 없이 기억 속에서만 흐릿하게 반짝인다.

그럼에도 나는 여전히, 당신을 기억하며
우리는 그렇게 각자 다른 청춘을 보냈다.

겁쟁이

돈이 없던 사람들은 돈에 집착하고
불면의 밤을 지새운 사람들은 잠을 갈망한다.

사랑을 받지 못한 사람들이 사랑을 원하듯
겁이 많은 사람들은 경험이 많은 이들이다.

원하지 않았던 일들을 배우고
보지 않아도 될 것들을 꾸준히 보며 살아왔기에
작은 일에도 노심초사하며 지레 겁을 먹는다.

죽고 싶어 하는 사람들은 살고 싶어 했었다.

지옥 같은 나날들을 곁에 두고 살았으니
얼마나 살고 싶었겠는가.

단지 지옥 같은 날들이 끊이지 않았기에
여전히 죽음 뒤의 세상이 유일한 탈출구라 믿는다.

겨울

좋아할 수 있는 것들이 점차 줄어간다.

싸워야만 하는 것들이 늘어나고
미운 순간들은 퍽하고 다가온다.

마음속 텅 빈 공간은 부정으로 채워져 곰팡이가 피었다.

일상적인 것들이 흩어져가고
퍼즐처럼 조각을 맞추다 보니 덜컥 겨울이 찾아온다.

삶에서 사랑보다 중요한 게 무엇이냐고 물으니
경험이라고 하더라. 그 말은 묘하게 나를 아프게 한다.

나를 삐걱이게 만들던 사람들이
누군가의 아들이고 딸, 또는 누군가에게
좋은 사람일 수 있다 생각하니 환멸스럽기 그지없다.

부푼 풍선은 바람이 빠져 엉망이 되는 건 이변이 없지만
내가 불어넣은 만큼 부풀어 주었으니
가빠진 숨을 몰아쉴 가치가 있었다.

당신이 키우는 화초들도 추운 겨울 길거리에 태어났다면
이미 시들거나 밟혀 죽었겠지만, 당신에게 보살핌을 받으니
한겨울에 꽃을 피울 준비를 하고 있다.

사람도 마찬가지이다
나는 당신으로 인해 겨울에 피어났다
당신이 없이 다가올 겨울이 얼마나 무서운 줄도 모르고...

빌린 책

많은 사람들에게 책을 빌려주고 빌려온다.

책의 제목이 참 슬프거나
위로가 가득한 글들을 보고 있자면

그 책을 고르고 위로의 글을 찾았을
너의 모습을 상상하게 된다.

어떤 마음으로 상처를 감싸고 싶었는지
생각하며 책을 다 읽으면

그냥, 우연히, 심심해서와 같은 이유들로
네가 이 책을 골랐기를 바라면서

더 이상 이 책을 네가 찾지 않기를
작게 읊조리며 기도한다.

무제

그녀는 가끔 알아들을 수 없는 소리로 기도하고
단어가 없는 허밍으로 노래를 불렀다.

때로는 소리가 나는 행동을 했지만
너무 작게 말해 뜻을 알 수 없었다.

아무도 인사를 건넬 수 없었고
아무도 안부를 전할 수 없어서
그녀를 보면 외로워 보이기도 하고
안쓰러워 보이기도 했다.

그러나 그녀는 인사와 안부를 못 받는 것이 아니라
받지 않는 것이었으며, 그것이 그녀가 정해둔 본질이었다
그녀가 세워둔 단절은 그녀로부터 파생된 신념이었다.

그녀에게는 자신의 세상과 사물들과의 유대가 있었고
이곳 그 누구도 그 세상과 유대에 관해 알고 싶어도
알 수 없었고, 듣고 싶어도 들을 수 없었다.

그녀의 눈에 비친 세상은 내가 이해할 수 없는
미지의 공간이었다.

그 공간 속에서 그녀는 스스로를 지키며 살아가고 있었으며
그녀의 고독은 선택된 것이었고
그 안에서만이 그녀는 진정한 자신으로 존재할 수 있었다.

그럼으로 애시당초에 내가 들어갈 틈은
그 어디에도 존재하지 않았다.

고장난 사랑

입이 없다고 하길래 키스를 하였다.

귀가 없다고 하길래 사랑한다 외쳤다.

눈이 없다고 하길래 편지를 건네었다.

코가 없다고 하길래 향수를 선물했다.

손이 없다고 하길래 반지를 선물했다.

발이 없다고 하길래 신발을 선물했다.

나에게 사랑은 이런 것들의 이어진 매듭이였다.

붉은 실타래

새끼손가락을 걸고 약속을 나눴다
약지에 붉은 실타래가 서로를 이어주었고
팽팽하게 늘어나기도 하고 끊어진 듯 쳐지기도 했다.

그 어떤 곳도 품속보다 따뜻한 곳은 없었다
되도록이면 더 오래 묶여있고 싶었다.

잠이 들면 당신을 볼 수 없어서
잠든 시간을 아까워했다.

나는 꽤 많은 것들을 사랑하며 지내게 되었다
다음에도 당신을 또 사랑하게 된다면
그때는 처음부터 모든 것을 다해 사랑하리라.

눈을 뜨면 가장 눈부신 햇살을 비춰주고
지친 하루에 다양한 빛으로 마음을 채워주고
피곤하고 위로가 필요한 날에는
달과 별마저 감춰주고 싶었다.

붉은 실타래를 나누었다
이어져 있는지 끊어져 있는지 모르는
희망이자 절망과도 같은 것
그럼에도 애초에 실타래를 풀 생각은 없었다.

그리움 속에서, 실타래의 흔적을 따라
목적지가 없는 곳으로 걸어간다.

그 끝에 너가 나를 기다리고 있기를 하는 마음으로

혀끝에서 맴돌다 이내 삼켜낸다.
숨결에 띄워 닿지 못하는 문장들을 보낸다.